colección
El zoo de las letras

Juega con la

Máximo y Calixto

Dibujos
Tría 3:
Horacio Elena
Mabel Piérola
Francesc Rovira

Cuento
Beatriz Doumerc

Hace un día excelente, y como el gato Máximo
ya ha terminado los exámenes, dice:
—Iré a buscar a mi primo Calixto
y nos iremos de excursión.

Máximo cruza la explanada,
llega a la estación y toma el tren expreso
porque la casa del gato Calixto
está muy lejos.

Cuando llega, su primo Calixto
lo saluda muy contento y le dice:
—¡Te enseñaré
mi último experimento!

7

Calixto y Máximo suben al altillo.
Allí hay un aparato muy extraño...
Es un gran exprimidor, lleno de tubos,
botones y tornillos.
—¿Para qué sirve este aparato tan extraño?
—le pregunta Máximo a su primo Calixto.

Y Calixto le dice:

—Voy a explicártelo. Escucha con atención:
En este extraño aparato exprimo
cien naranjas y un limón, le echo sal,
un cubo de arena y salsa de tomate,
aprieto este botón...
¡y sale un exquisito
helado de chocolate!

—¡Aaah! ¡Es un invento extraordinario!
—exclama Máximo muy contento.
Y los dos gatos se preparan
para hacer el experimento.
Exprimen cien naranjas, exprimen
un limón, mezclan sal y arena con salsa
de tomate, aprietan el botón y...

¡CRASXXX! ¡PUMMM! ¡CROSSSXX!
¡Se produce una explosión!

12

¡Auxilio! ¡Auxilio!
Vuelan naranjas, vuelan tornillos...
El extraño aparato ha desaparecido,
y los dos gatos, aturdidos,
salen corriendo
del altillo.

14

Máximo y Calixto descansan
bajo un árbol del jardín.
Después de esa explosión,
ya no harán más experimentos.
En el jardín hay silencio.
Sólo se escucha a un ratón
que toca el xilofón.

◄ ¿Qué animales son los protagonistas de este cuento?

◄ ¿Cuál es el último experimento de Calixto?

◄ Para hacer helado de chocolate, Calixto utiliza cien naranjas, un limón, sal, arena y salsa de tomate.

Esto es un disparate, porque el chocolate de verdad se hace con cacao, leche y azúcar.

Además, uno de los ingredientes que usa Calixto no se puede comer, ¿verdad? ¿Cuál es ese ingrediente?

◄ ¿Te gustan los helados?

¿Cuál es tu sabor favorito?

¿Cuándo fue la última vez que te comiste uno?

Objetivos:

Comprender lo que se lee.
Narrar experiencias de la vida cotidiana.

Cuenta el cuento de Máximo y Calixto con tus propias palabras.
Puedes empezar así:

El gato Máximo va a visitar
a su primo el gato Calixto,
que es inventor.
Calixto ha inventado
un extraño aparato que sirve para...

(Sigue tú.)

Objetivos:
Resumir el cuento.
Interpretar la lectura de forma personal.

JUEGA

con la

J
U
E
G
A

con la

▲ Los dos gatos de este cuento tienen una **x** en sus nombres: *Máximo, Calixto.*

A ver si descubres la letra **x** en estas otras palabras del cuento:

experimento   excursión   auxilio

exprimidor   xilofón

▲ ¿Te atreves a formar frases con algunas de estas palabras?

Por ejemplo:

Cuando voy de excursión toco el xilofón.

(Sigue tú.)

Objetivos:

Ampliar vocabulario.
Reconocer la letra **x.**
Usar correctamente el lenguaje.

◄ Los gatos Máximo y Calixto son primos.

¿Tienes tú algún primo o alguna prima? ¿Cómo se llama?

◄ Para que alguien sea tu primo o tu prima tiene que ser el hijo o la hija del hermano o de la hermana de tu padre o de tu madre.

¡Qué lío!, ¿verdad? ¡Pues aún hay más!

¿Quién es la hija de tu abuela?

¿Quién es el nieto o la nieta de tu abuelo?

¿Quién es el hijo o la hija de tus padres?

Objetivos:

Aplicar conocimientos.
Descubrir parentescos.

JUEGA con la

Ahora vas a dibujar a los gatos Máximo y Calixto.

¡Es muy fácil! Sólo tienes que hacer cuatro círculos (o pegar cuatro gomets), añadirles las orejas, los bigotes, el rabo y... ¡ya está!

Fíjate en el ejemplo:

HAZ AQUÍ TU DIBUJO

Objetivos:

Manipular formas geométricas.
Combinar formas de manera significativa.

◀ Colorea las letras **x** minúscula y **X** mayúscula y luego recórtalas.

Así podrás ir formando tu propio ZOO DE LAS LETRAS con los cuentos de esta colección.

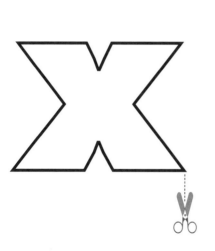
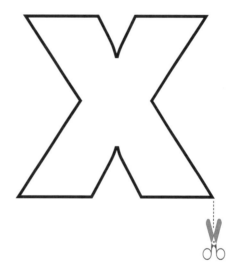

Objetivos:

Reconocer las letras **x, X.**
Ejercitar la coordinación visomanual.

J
U
E
G
A

con la

colección

El zoo de las letras